D0351715

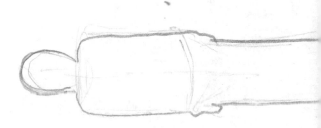

DE L'ESPOIR EN L'AVENIR

Noam Chomsky

DE L'ESPOIR
EN L'AVENIR

ENTRETIENS SUR L'ANARCHISME
ET LE SOCIALISME

Traduit de l'américain
par Geneviève Lessard

Le collectif ÉDAM (Éditions et diffusion l'Aide mutuelle) propose dans la collection «Instinct de liberté» des textes susceptibles d'approfondir la réflexion quant à l'avènement d'une société nouvelle sensible aux principes anarchistes et libertaires.

ÉDAM, 2001

Publié avec le concours du Conseil des Arts du Canada, la SODEC et le Département des Bouches-du-Rhône

Correction : Guillaume Bard, Sandy Feldheim

Avec l'aimable autorisation de Red and Black Revolution (1995) pour «De l'anarchisme, du marxisme et de l'espoir en l'avenir». WSM, P.O. Box 1528, Dublin 8, Ireland. http://surf.to/anarchism.

© Black Rose Books (1981) pour l'édition anglaise de «Théorie et pratique de l'anarcho-syndicalisme».

Dépôt légal : 3e trimestre 2001
Bibliothèque nationale du Québec
Bibliothèque nationale du Canada
Bibliothèque nationale de France

© Comeau & Nadeau, 2001 pour la présente édition
Tous les droits réservés pour tous pays
c.p. 129, succ. de Lorimier
Montréal, Québec H2H 1V0
ISBN : 2-922494-42-x

Coédition, Agone Éditeur
BP 2326, F-13213 Marseille cedex 02
ISBN : 2-910846-49-0

NOTE DES ÉDITEURS

Né en 1928 à Philadelphie, Noam Chomsky est aujourd'hui très connu pour ses critiques portant sur la politique extérieure américaine, sur les médias américains et pour ses travaux de linguistique. Pourtant, peu de gens encore savent qu'il a depuis toujours adhéré aux objectifs socialistes libertaires. En mai 1995, lors d'une entrevue accordée à Kevin Doyle de Red and Black Revolution, Chomsky faisait part de ses opinions sur l'anarchisme ainsi que sur les perspectives d'avenir qu'il entrevoit pour le socialisme tel qu'il se présente aujourd'hui. Nous publions ici, pour la première fois en français, cet important entretien.

On trouvera à la suite de ce texte une entrevue accordée par Chomsky à Peter

Jay en juillet 1976 pour le compte de l'émission londonienne «The Jay Interview». La transcription de cette entrevue fut publiée dans *The New Review* la même année sous le titre «How to be an anarchist: Noam Chomsky talks to Peter Jay». Elle fut reprise quelques années plus tard à Montréal, aux éditions Black Rose, dans un recueil de textes de Noam Chomsky présenté par Carlos Otero.

DE L'ANARCHISME, DU MARXISME ET DE L'ESPOIR EN L'AVENIR

Noam Chomsky, il y a un certain temps déjà que vous défendez les idées anarchistes: dès 1970, vous rédigiez l'introduction à l'édition américaine de L'Anarchisme, *de Daniel Guérin, que bien des gens connaissent[1]. Plus récemment, par exemple dans le film* Manufacturing Consent, *vous avez tenu à souligner, une fois de plus, le potentiel de l'anarchisme et des idées anarchistes. Qu'est-ce qui vous attire en l'anarchisme?*

Je me suis senti attiré par l'anarchisme dès le début de l'adolescence, c'est-à-dire dès l'instant où j'ai commencé à m'ouvrir au monde, et je n'ai jamais trouvé de

1. Cette préface a été publiée en français dans: Noam Chomsky, *Instinct de liberté*, Montréal, Comeau & Nadeau, 2001.

raison de réviser mes positions depuis. Je pense qu'il est bien naturel de rechercher et d'identifier les structures d'autorité, de hiérarchie et de domination dans tous les aspects de la vie, et de les remettre en question ; à moins qu'elles puissent être justifiées, elles sont illégitimes et devraient être démantelées, de façon à faire place à une plus grande liberté humaine. Je parle ici du pouvoir politique, du droit de propriété et du patronat, des relations entre hommes et femmes, entre parents et enfants, de notre contrôle sur le sort des générations futures (qui est à mon avis le fondement moral du mouvement environnemental), et de bien d'autres choses encore. Bien entendu, c'est là tout un défi face aux gigantesques institutions de coercition et de contrôle telles que l'État, et face aux injustifiables tyrannies privées qui contrôlent en presque totalité l'économie nationale et internationale, etc., mais ça ne s'arrête pas là. Ce que j'ai toujours considéré comme étant l'essence de l'anarchisme, c'est précisément cette conviction que le fardeau de la preuve doit être imposé à toute forme d'autorité, qui doit être démantelée si cette preuve de légitimité ne peut pas être faite. Il arrive parfois qu'elle puisse l'être: si je me promène avec mes petits-enfants et qu'ils s'élancent vers une rue achalandée, j'utiliserai, pour les en empêcher, non seulement l'autorité mais aussi la coercition physique. Ce geste doit être remis en question, mais je crois qu'il peut très bien être justifié. Et il y a d'autres exemples du genre. La vie est complexe, nous ne comprenons encore que très peu de choses au sujet des êtres humains et de la société, et la généralisation est souvent plus dommageable que profitable. Mais je crois que, en soi, l'idée de remettre en question toute forme d'autorité est valable et qu'elle peut nous faire avancer. Quand nous parvenons à dépasser les généralités, nous nous mettons à réfléchir sur des cas spécifiques, et c'est alors qu'émergent les questions d'intérêt humain.

Vos idées et vos critiques sont maintenant plus connues que jamais. Il faut dire aussi que vos opinions sont très respectées. Dans un tel contexte, comment l'appui que vous accordez à l'anarchisme est-il perçu, selon vous? Je pense ici particulièrement à la réaction des gens qui s'intéressent à la politique pour la toute première fois et qui, peut-être, peuvent avoir pris connaissance de vos idées. Se montrent-ils surpris que vous appuyiez l'anarchisme? S'y intéressent-ils?

Comme vous le savez, dans les milieux intellectuels en général, on associe l'anarchisme au chaos, à la violence, aux bombes, au bouleversement, etc. Alors souvent, les gens sont surpris quand ils m'entendent parler en faveur de l'anarchisme et de ses principales traditions. Mais j'ai l'impression qu'une fois les choses mises au clair, la population en général considère que les idées fondamentales de l'anarchisme sont sensées. Bien entendu, dès qu'on s'attache à des questions spécifiques – la nature des familles, par exemple, ou le fonctionnement de l'économie dans une société

12

plus libre et plus équitable – on soulève questions et controverses. Et c'est très bien comme ça. La physique ne peut expliquer à elle seule comment l'eau en arrive à couler du robinet à l'évier. Alors quand nous nous penchons sur des questions infiniment plus complexes, qui ont trait à la nature humaine, la compréhension que nous en avons est encore plus limitée; il y a là place au désaccord, à l'expérimentation et à l'exploration des possibilités, tant sur le plan intellectuel que sur celui de la vie quotidienne, et cela nous permet d'apprendre davantage.

Sans doute l'anarchisme a-t-il souffert, plus que toute autre idéologie, du problème de la fausse représentation. Il peut signifier différentes choses pour différentes personnes. Vous arrive-t-il souvent d'avoir à expliquer ce que vous entendez par «anarchisme»? Cette fausse représentation de l'anarchisme vous dérange-t-elle?

Toute fausse représentation est nuisible. Une large part de la responsabilité de ce phénomène est attribuable aux structures de pouvoir qui, pour des raisons qui sont plutôt évidentes, ont intérêt à maintenir les gens dans l'incompréhension. Rappelons-nous *De l'origine des gouvernements*, de David Hume. Dans cette œuvre, l'auteur exprime la surprise qu'il éprouve devant le fait que les gens se soumettent à leurs dirigeants. Il en conclut que, puisque «la force est toujours du côté des gouvernés, les gouvernants n'ont pour se maintenir au pouvoir que l'opinion publique. Le gouvernement se fonde donc uniquement sur l'opinion publique; et cela s'applique aux gouvernements de toutes sortes, des plus despotiques et militaires aux plus libres et populaires». Hume voyait juste et, soit dit en passant, il était loin d'être «libertaire», au sens où on l'entend aujourd'hui. Il sous-estime sûrement le potentiel de la force dont il parle, mais il me semble que ses observations sont fondamentalement justes et importantes, particulièrement pour les sociétés qui sont plus libres et dans lesquelles l'art de contrôler l'opinion

14

publique est, par conséquent, beaucoup plus raffiné. La fausse représentation et les autres manœuvres visant à créer la confusion sont des phénomènes naturellement concomitants.

Alors, la fausse représentation me dérange-t-elle ? Bien sûr ! Mais le mauvais temps me dérange aussi... La fausse représentation existera tant et aussi longtemps que les concentrations de pouvoir créeront une sorte de classe de commissaires destinée à les défendre. Puisqu'en général, les gens au pouvoir ne sont pas très intelligents, ou plutôt juste assez perspicaces pour comprendre qu'il leur est préférable d'éviter l'arène de l'information et de la discussion, ils ont recours à la fausse représentation, au dénigrement et aux divers mécanismes accessibles à ceux qui savent qu'ils pourront toujours se protéger à l'aide des multiples moyens qui relèvent du pouvoir. Il nous faut comprendre pourquoi tout cela se produit et l'analyser du mieux que nous le pouvons ; cela fait partie du projet de libération de nous-mêmes et des autres, ou plus précisément, de tous ceux qui travaillent ensemble pour parvenir à ces fins.

Tout cela peut sembler naïf, et ça l'est ; mais je n'ai encore entendu aucun commentaire sur la vie humaine et la société qui ne le soit pas, une fois dépouillé d'absurdité et d'égoïsme.

Qu'en est-il des gens des milieux de gauche mieux établis, plus susceptibles de mieux connaître le véritable sens de l'anarchisme? Vos propos et l'appui que vous accordez à l'anarchisme suscitent-ils la surprise chez eux aussi?

Les gens des «milieux de gauche mieux établis», si je comprends bien ce que vous entendez par là, ne se surprennent pas de mes propos sur l'anarchisme, tout simplement parce qu'ils ne sont pratiquement pas au courant de mes propos sur quoi que ce soit. Ce ne sont pas là les milieux avec lesquels je traite ; ils ne font que rarement référence à ce que j'écris ou dis. Bon, bien sûr, ce n'est pas tout à fait vrai. Ainsi, aux États-Unis (mais moins couramment au Royaume-Uni ou ailleurs), certains des secteurs les plus critiques et les plus indépendants de ce qu'on peut appeler «les milieux de gauche établis» sont familiers avec ce que je fais, et je compte même certains d'entre eux parmi mes amis personnels ou mes collègues. Mais jetez un coup d'œil aux livres et aux journaux et vous verrez ce que je veux dire. Sauf exception, je ne peux m'attendre à ce que mes écrits et mes discours soient, un tant soit peu, mieux reçus dans ces milieux que dans les clubs de faculté ou dans les salles de presse. Mais il est si rare que la question soit soulevée qu'il m'est difficile d'y répondre.

Bon nombre de gens ont remarqué que vous utilisez les mots «socialisme libertaire» et «anarchisme» dans le même contexte. Considérez-vous ces termes comme étant essentiellement similaires? Diriez-vous que l'anarchisme est un type de socialisme? L'anarchisme a déjà été décrit comme étant «l'équivalent du socialisme avec liberté». Êtes-vous d'accord avec ce principe de base?

L'introduction du livre de Guérin à laquelle vous faites référence commence avec une citation d'un sympathisant anarchiste qui vécut il y a plus d'un siècle. Octave Mirbeau dit que «l'anarchisme a le dos large», qu'il «peut endurer n'importe quoi». Un des principaux éléments de l'anarchisme est ce qu'on a traditionnellement appelé le «socialisme libertaire». J'ai essayé d'expliquer un peu partout ce que j'entends par là, en précisant qu'il ne s'agit de rien de bien original. Je cite simplement les idées des grands noms du mouvement anarchiste, qui pour la plupart se disent socialistes alors qu'ils blâment pourtant sévèrement la «nouvelle classe» d'intellectuels radicaux qui profite des luttes populaires pour prendre possession du pouvoir de l'État et devenir la «vicieuse bureaucratie rouge», contre laquelle Bakounine nous a mis en garde, et qu'on appelle souvent «socialisme». J'opterais plutôt pour l'idée de Rudolf Rocker, voulant que les principales tendances de l'anarchisme soient tirées du meilleur du siècle des Lumières et de la pensée libérale classique. J'irais même plus loin que lui en ajoutant qu'en fait, comme j'ai tenté de le démontrer, elles sont paradoxalement opposées avec la pratique et la doctrine marxiste-léninistes, les doctrines libertariennes en vogue aux États-Unis et au Royaume-Uni, particulièrement, et les autres idéologies contemporaines, qui ne sont à mes yeux qu'un plaidoyer en faveur d'une quelconque forme d'autorité illégitime, et souvent d'une réelle tyrannie.

Par le passé, en parlant de l'anarchisme, vous avez souvent insisté sur l'exemple de la Révolution espagnole. Il semble qu'il y ait pour vous deux aspects importants dans cet exemple; d'abord, vous présentez l'expérience de la Révolution espagnole comme étant une démonstration concrète «d'anarchisme en action». Ensuite, vous soulignez qu'elle illustre bien ce à quoi les efforts des travailleurs peuvent mener quand la démocratie participative est appliquée. Pour vous, ces deux aspects – l'anarchisme en action et la démocratie participative – sont-ils une seule et même chose? L'anarchisme est-il une philosophie en faveur du pouvoir du peuple?

J'essaie habituellement d'éviter d'utiliser des polysyllabes recherchés, telles que «philosophie», pour faire référence à ce qui ne correspond qu'au bon sens. Je suis tout aussi mal à l'aise avec les slogans. Les réalisations des travailleurs et des paysans espagnols, avant que la révolution ne soit écrasée, étaient impressionnantes à bien des égards. L'expression «démocratie participative» est plus récente et s'est développée dans un contexte différent, mais il y a certainement des points de ressemblance. Je suis désolé si cette réponse semble évasive; elle l'est, mais c'est parce que je crois que ni la notion d'anarchisme ni celle de la démocratie participative n'est suffisamment claire pour qu'on puisse dire si elles sont ou non un seul et même concept.

Un des principaux exploits de la Révolution espagnole fut le degré de démocratie de base auquel on put parvenir; on estime à plus de trois millions le nombre de personnes qui y étaient impliquées, et la production rurale et la production urbaine étaient gérées par les travailleurs mêmes. Selon vous, est-ce une coïncidence si les anarchistes, reconnus pour défendre le droit à la liberté individuelle, ont si bien réussi dans le champ de l'administration collective?

Ce n'est absolument pas une coïncidence. J'ai toujours trouvé que la plus grande force de persuasion de certaines orientations anarchistes résidait dans le fait qu'elles aspirent à une société hautement organisée, qui comprendrait plusieurs types de structures (le milieu de travail, la communauté et de multiples autres formes d'associations volontaires), mais qui serait contrôlées par les participants et non par ceux qui sont tout simplement en position de donner des ordres (sauf, encore une fois, quand l'autorité peut être justifiée, comme c'est parfois le cas dans certains domaines spécifiques).

Les anarchistes s'acharnent souvent à vouloir construire une démocratie populaire. En fait, on les accuse souvent «de mener la démocratie à l'extrême». Pourtant, nombreux sont les anarchistes qui se refuseraient à considérer d'emblée la démocratie comme étant une des composantes centrales de la philosophie anarchiste. Les anarchistes décrivent souvent leurs politiques comme étant «axées sur le socialisme» ou «axées sur l'individu», mais ils sont moins enclins à dire que l'anarchisme est une affaire de démocratie. Diriez-vous que la démocratie est un des principaux éléments de l'anarchisme?

Quand les anarchistes critiquent la «démocratie», c'est souvent de la démocratie parlementaire telle qu'elle s'est développée au sein des sociétés à caractère hautement représentatif dont il s'agit. Prenez pour exemple les États-Unis d'Amérique, qui depuis ses origines a été parmi les pays les plus libres. La démocratie américaine a été fondée sur le principe, souligné dans la Convention constitutionnelle de 1787 par James Madison, voulant que la fonction première du gouvernement soit de «protéger la minorité riche contre la majorité». Aussi Madison tenait-il à faire une mise en garde: en Angleterre, seul modèle de quasi-démocratie de l'époque, si on permettait à la population de dire son mot dans les affaires publiques, les gens instaureraient une réforme agraire ou autres atrocités semblables; le système américain se devait donc d'être élaboré avec soin de façon à éviter que soient perpétrés de tels crimes contre «les droits de propriété», qui doivent à tout prix être préservés (en fait, qui doivent prévaloir). Une démocratie parlementaire qui présente une telle structure mérite bien les critiques acerbes des véritables libertaires, et remarquez que je vous ai épargné certaines de ses caractéristiques qui sont à peine subtiles : l'esclavagisme, pour n'en mentionner qu'une, ou l'esclavage salarial qui, tout au long du XIXᵉ siècle et encore par la suite, fut sévèrement contesté par les travailleurs qui pourtant, n'avaient jamais entendu parler d'anarchisme ou de communisme.

L'importance que prend la démocratie populaire dans l'implantation de tout changement social significatif semble aller de soi. Pourtant, par le passé, la gauche est restée ambiguë à ce sujet. Je parle ici de la social-démocratie en général, mais aussi du bolchevisme – de ces traditions de la gauche qui semblent tenir plus de l'élitisme que de la pratique rigoureuse de la démocratie. Lénine, pour prendre un exemple connu, doutait que les travailleurs puissent développer autre chose qu'une simple «conscience syndicaliste» – je suppose qu'il entendait par là que les travailleurs ne pouvaient pas voir au-delà de leur situation précaire. De

la même façon, Beatrice Webb, de l'association socialiste Fabian Society, qui eut une grande influence sur le Parti travailliste en Angleterre, soutenait que les travailleurs ne s'intéressaient qu'aux « cotes des courses de chevaux » ! D'où provient cet élitisme et quel effet a-t-il sur la gauche ?

Je crains qu'il ne me soit difficile de répondre à cela. Si le bolchevisme devait être considéré comme faisant partie de la gauche, alors je me dissocierais tout simplement de la gauche. Pour des raisons que j'ai déjà évoquées, Lénine était, à mon avis, l'un des plus grands ennemis du socialisme. L'idée que les travailleurs ne s'intéressent qu'aux courses de chevaux est une absurdité qui ne tient plus, dès l'instant où l'on jette un coup d'œil, même superficiel, à l'histoire du travail ou aux documents qui ont été publiés dans la presse indépendante de la classe ouvrière, bien dynamique, qui s'est développée en de nombreux endroits, dont les villes manufacturières de Nouvelle-Angleterre, situées à quelques kilomètres seulement de mon lieu de travail. Je m'abstiens ici de parler du nombre encourageant des luttes qui ont bravement été menées au cours de l'histoire, et encore aujourd'hui, par les gens persécutés et opprimés. Prenez par exemple Haïti, le plus misérable endroit de cet hémisphère, que les conquérants européens considéraient comme un paradis et comme une source importante de richesse pour l'Europe. Haïti est maintenant un pays dévasté, irrémédiablement peut-être. Au cours de ces dernières années, et dans des conditions si atroces que très peu d'habitants des pays riches peuvent se les imaginer, les paysans et les gens des quartiers pauvres ont mis sur pied un mouvement démocratique basé sur les groupes populaires, qui surpasse à peu près tous les autres mouvements dont j'ai entendu parler; aussi faut-il être un membre profondément convaincu de la «classe commissaire» pour ne pas s'outrer du ridicule des déclarations solennelles des intellectuels et des dirigeants politiques des États-Unis sur les

leçons de démocratie que les Américains se doivent de donner aux Haïtiens. Ce mouvement parvint à des résultats si concrets, et devint une telle menace pour les gens puissants, qu'à l'aide d'un appui américain beaucoup plus important que ce qui fut reconnu publiquement, on leur administra bientôt une nouvelle dose de terreur; et pourtant, ces gens n'ont toujours pas capitulé. Ceux-là s'intéressent-ils seulement aux courses de chevaux?

J'irais ici d'une citation de Rousseau à laquelle j'ai fait référence à quelques reprises: «Quand je vois tous ces sauvages, complètement nus, qui dédaignent les voluptés européennes et endurent la faim, le feu, l'épée et la mort dans le seul but de préserver leur indépendance, je me dis qu'il n'est pas à l'avantage des esclaves de réfléchir sur la liberté».

De façon générale encore une fois, vous avez toujours insisté, dans votre travail (Deterring Democracy, Necessary Illusions, *etc.), sur le rôle et sur la prédominance des idées élitistes dans les sociétés*

*comme la nôtre. Vous soutenez qu'il y a,
dans la démocratie occidentale (ou parlementaire), un profond antagonisme à
toute action ou contribution véritable de la
classe populaire, de manière à ce que soit
préservée la distribution inéquitable des
ressources en faveur des riches. Bien que
votre œuvre soit bien convaincante à ce
sujet, certaines personnes ont été choquées
par vos propos. Vous comparez par exemple les politiques du président John F.
Kennedy à celles de Lénine et les considérez
comme étant pratiquement équivalentes.
Cela a su choquer, si je puis ajouter, les
partisans des deux camps! Pouvez-vous
apporter quelques précisions au sujet de la
validité de cette comparaison?*

En fait, je n'ai jamais écrit que les
doctrines des intellectuels libéraux de
l'administration Kennedy et celles des
léninistes étaient « équivalentes », mais
j'ai relevé entre elles des similarités
frappantes – un peu comme celles
qu'avait prédites Bakounine, plus d'un
siècle auparavant, avec son clairvoyant
commentaire sur la « nouvelle classe ».

J'ai cité en exemple des extraits de McNamara[1] portant sur la nécessité d'accroître le contrôle des gestionnaires pour accéder à une «liberté» réelle, et sur l'idée que la «sous-gestion», qui est la «véritable menace pour la démocratie», est un pur affront à la raison. Changez quelques mots de ces passages et vous aurez une doctrine léniniste standard. Ce que j'ai affirmé, c'est que dans les deux cas, les racines sont plutôt profondes. Sans plus d'explications sur ce que les gens voient de «choquant» dans mes propos, je ne peux faire plus de commentaires. Mes comparaisons portent sur des éléments très spécifiques et je pense qu'elles sont à la fois correctes et bien nuancées. Si ce n'est pas le cas, alors je suis dans l'erreur et je serais bien heureux qu'on m'éclaire à ce sujet.

Le léninisme se rapporte spécifiquement à une forme de marxisme qui s'est déve-

1. Robert McNamara fut, aux États-Unis, un influent secrétaire à la Défense.

loppée avec Vladimir Ilitch Lénine. À votre avis, y a t-il une distinction implicite entre les travaux de Marx et le «léninisme» au sens où vous l'entendez quand vous critiquez Lénine? Croyez-vous qu'il existe un lien de continuité entre les idées de Marx et les pratiques ultérieures de Lénine?

Longtemps avant l'avènement de Lénine, Bakounine faisait ses mises en garde contre la «bureaucratie rouge qui instaurerait le pire des gouvernements despotiques», en l'occurrence, contre les partisans de Marx. En fait, il y avait plusieurs types de partisans; certains, comme Pannekoek, Luxemburg et Mattick, sont très loin de Lénine et leurs idées correspondent souvent à certains éléments de l'anarcho-syndicalisme. En fait, Korsch et certains autres auteurs ont même sympathisé avec la révolution anarchiste d'Espagne. Il y a un rapport de continuité entre Marx et Lénine, mais le marxisme traditionnel a également donné lieu à une tendance qui demeure très critique à l'endroit du léninisme et du bolchevisme. Il convient aussi de mentionner le travail effectué par Téodor Shanin, par les années passées, qui porte sur la façon dont Marx en est venu à considérer la révolution paysanne. Quant à moi, je suis loin d'être un spécialiste de Marx et je ne me sens pas vraiment en mesure de juger quelles sont les tendances actuelles du marxisme qui reflètent le mieux le «vrai Marx», si tant est qu'il existe une réponse à cette question.

Dans Réflexions sur l'anarchisme, *vous traitez des idées du «Marx des premiers temps», et plus particulièrement de la théorie qu'il a développée au sujet de l'aliénation par le capitalisme. Êtes-vous d'accord avec l'idée qu'il y a une division dans la vie et dans l'œuvre de Marx — socialiste plus libertaire dans sa jeunesse, mais ferme et autoritaire par la suite?*

Le «Marx des premières années» était le produit du milieu dans lequel il vécut et qui, à bien des égards, rappelle le courant du libéralisme classique, plusieurs aspects de la Renaissance et le

31

Romantisme français et allemand. Encore une fois, je ne m'y connais pas assez en ce qui concerne Marx pour prétendre que mon point de vue doive faire autorité. Mais à mon humble avis, le Marx des premiers temps était un peu comme un symbole de la fin du siècle des Lumières, alors que le Marx des dernières années était un activiste hautement autoritaire et un analyste critique du capitalisme, qui n'avait pas grand chose à dire des options socialistes. Mais ce n'est là qu'une impression.

D'après ce que je comprends, votre opinion sur le monde en général découle en grande partie de votre notion de ce qu'est la nature humaine. Autrefois, la nature humaine pouvait être considérée comme étant quelque chose de régressif, de limitatif même. Par exemple, on invoque souvent le fait que la nature humaine soit immuable, comme argument à l'encontre des changements fondamentaux qu'imposerait l'anarchisme. Vous regardez les choses sous un autre angle. Pourquoi?

Chacun tire son opinion sur le monde de sa notion personnelle de ce qu'est la nature humaine, aussi peu éclairée ou imprécise soit-elle. C'est du moins le cas de tous ceux qui se définissent comme des être moraux, et non comme des monstres. Hormis ces monstres, toute personne qui défend la réforme ou la révolution, la stabilité ou le retour au passé, ou qui cultive simplement son jardin, le fait à la lumière de ce qu'elle croit être «bon pour les gens». Mais elle fonde nécessairement ce jugement sur quelque conception de ce qu'est la nature humaine, qu'elle formulera, comme toute personne raisonnable, le plus clairement possible. Donc, à cet égard, je ne me distingue nullement des autres.

Vous avez bien raison de dire que la nature humaine a été longtemps considérée comme «régressive», mais je crois que cela résulte d'une profonde confusion. Ma petite-fille est-elle pareille à une roche, à une salamandre, à un poulet ou à un singe? Toute personne qui réfute cette affirmation parce qu'elle la considère absurde reconnaît qu'il existe une nature essentiellement humaine. Il nous incombe de découvrir ce en quoi elle consiste – c'est là une question fascinante et très peu triviale, qui présente un grand intérêt sur les plans scientifique et humain. Sur certains aspects de cette question, qui ne se rapportent pas au sens de la vie humaine, nous disposons d'un bon nombre d'informations. Mais au-delà de ce que nous connaissons, nous n'avons que nos espoirs et nos désirs, nos intuitions et nos spéculations.

Il n'y a rien de « régressif » dans le fait que l'embryon humain n'ait pas d'ailes, que son système visuel ne puisse fonctionner comme celui des insectes, ou qu'il ne développe pas l'instinct des pigeons voyageurs. Les facteurs qui limitent le développement de l'organisme rendent aussi possible, d'une part, l'élaboration de cette structure riche et complexe, fondamentalement semblable à celle des autres membres de la même espèce et, d'autre part, l'acquisition des remarquables facultés qui nous caractérisent. Un organisme qui n'aurait pas cette structure déterminative et intrinsèque qui, bien entendu, limite radicalement certains aspects du développement, deviendrait une sorte de créature amiboïde que nous plaindrions même si elle parvenait à survivre. L'étendue et les limites du développement sont nécessairement reliées.

Prenez le langage. Il est une des rares facultés distinctives de l'être humain au sujet desquelles nous disposons d'informations. Nous avons de bonnes raisons de croire que toutes les formes de langage humain sont similaires; un scientifique martien qui observerait les humains pourrait conclure qu'il n'existe qu'une seule langue présentant des variantes mineures. La raison de ce phénomène est que les fonctions humaines particulières qui permettent le développement du langage se restreignent à un certain nombre d'options. Est-ce là une limite? Certainement. Est-ce là une faculté libératrice? Tout aussi certainement. Ce sont précisément nos limites qui rendent possible le développement de riches et complexes systèmes d'expression de la pensée à partir d'expériences simples, ponctuelles et diverses.

Qu'en est-il des différences humaines qui relèvent de la biologie? Elles existent indéniablement, et causent non seulement de la peur ou du regret, mais également de la joie. La vie ne vaudrait pas d'être vécue si nous étions des clones, et toute personne sensée ne pourra que se réjouir du fait que les autres aient des habiletés qu'elle n'a pas. Cela devrait être élémentaire. En fait, je trouve que les idées communément admises à ce sujet sont assez étranges.

La nature humaine, quelle qu'elle soit, nous empêchera-t-elle de parvenir à des formes de vie anarchistes ou nous y conduira-t-elle? Nous n'avons pas encore assez de connaissances pour répondre à cette question qui devrait inciter à l'expérimentation et à la découverte, et non à des prises de position qui seraient vides de sens.

Avant de terminer, j'aimerais vous inter-
roger sur certaines questions qui reviennent
souvent dans les milieux de gauche. Je ne
sais pas si la situation est la même aux
États-Unis, mais ici, avec la chute de
l'Union soviétique, les partisans de la
gauche sont démoralisés. Ils ne tenaient pas
nécessairement au régime qui existait en
Union soviétique, mais ils ont la vague
impression que la fin de ce système a causé
le recul de l'idée socialiste. Avez-vous pu
constater cela aussi? Comment répondriez-
vous à cela?

Ma réaction à la fin de la tyrannie
soviétique fut la même que lors des
défaites de Hitler et de Mussolini : tous ces
événements sont autant de victoires pour
l'esprit humain. Les socialistes auraient dû
être les premiers à se réjouir, puisqu'un
grand ennemi du socialisme venait enfin
de s'écrouler. Tout comme vous, j'ai été
très surpris de constater que l'effon-
drement de la tyrannie avait découragé les
gens – et même ceux qui se disaient anti-
stalinistes et anti-léninistes. Ce que cela

démontre, c'est qu'ils étaient plus profondément attachés à Lénine qu'ils ne le
croyaient.

Mais nous avons par contre bien
d'autres raisons de nous inquiéter des
suites de l'anéantissement de ce système
tyrannique et brutal, qui était aussi
« socialiste » qu'il était démocratique
(souvenez-vous qu'il se voulait à la fois
l'un et l'autre et qu'à l'Ouest, on ridi-
culisa qu'il se réclame d'être démocratique alors que l'on reconnaissait d'emblée sa nature socialiste, question de dis-
créditer le socialisme – gracieuseté parmi
tant d'autres des intellectuels occidentaux au service du pouvoir). Une de ces
raisons a trait à la nature même de la
guerre froide. À mon avis, la guerre
froide était d'abord et avant tout une
manifestation particulière du « conflit
Nord-Sud », pour utiliser l'euphémisme
courant qui nous sert à désigner la
conquête d'une grande partie du monde
par l'Europe. À l'origine, l'Europe de
l'Est, c'était le « Tiers-monde » et la
guerre froide, dès 1917, ressemblait

considérablement aux efforts d'émancipation intentés dans les autres régions du
Tiers-monde; bien qu'en raison de son
étendue, ce conflit prit une forme
indépendante et unique en son genre.
Ainsi, on s'attendait logiquement à ce
que l'Europe de l'Est retourne à son
ancien statut. Certaines régions de l'Est,
comme la République tchèque ou la
Pologne occidentale, allaient vraisemblablement s'y rallier, alors que d'autres
allaient retourner à leurs fonctions traditionnelles de service, l'ex-nomenklatura
s'appropriant le rôle (avec l'accord de la
puissance occidentale qui la préfère aux
autres solutions) de l'élite tiers-mondiste
standard. Ces perspectives n'avaient rien
de bien réjouissant et cela a amené d'im-
menses souffrances.

Le second motif d'inquiétude relève de
la question de la dissuasion et du non-
alignement. Malgré toute l'absurdité de
l'empire soviétique, son existence a rendu
possible la création d'un certain espace
pour le non-alignement, et a permis
d'aider, pour des raisons bien cyniques,

certaines victimes de l'agression occidentale. À présent, cette possibilité n'existe
plus et c'est le Sud qui en subit les conséquences.

Troisièmement, vient la question de ce
phénomène que la presse des affaires
appelle «les travailleurs choyés de l'Occident» et leur «vie de luxe». Depuis
qu'une bonne partie de l'Europe de l'Est
a battu en retraite, les propriétaires et les
gestionnaires de compagnies disposent
maintenant de nouvelles armes très puis-
santes contre les travailleurs et les pauvres de chez nous. Non seulement la
General Motors et la Volkswagen peu-
vent-elles transférer leur production au
Mexique et au Brésil (ou à tout le moins
menacer de le faire, ce qui équivaut souvent à la même chose), mais elles peuvent maintenant partir aussi pour la
Pologne et la Hongrie, où il est possible
de trouver des travailleurs qualifiés et
formés pour une fraction seulement du
prix de leur valeur en Occident. Quand
on connaît les intérêts qui les mènent,
on comprend bien que ces directeurs et
propriétaires fassent les gorges chaudes.

On peut apprendre beaucoup de choses sur la guerre froide (ou sur tout autre conflit) en identifiant ceux qui se réjouissent et ceux qui se plaignent, une fois le conflit terminé. Dans ce cas-ci, les vainqueurs sont les membres de l'élite occidentale et de l'ex-nomenklatura, maintenant encore plus riches que dans leurs rêves les plus fous. Alors que du côté des perdants, on retrouve la majeure partie de la population de l'Est, les pauvres et les travailleurs de l'Ouest et les membres des secteurs populaires des pays du Sud, qui cherchaient la voie de l'indépendance.

Quand de pareilles idées parviennent jusqu'aux oreilles des intellectuels occidentaux, ce qui est rare, ceux-ci deviennent presque hystériques. C'est facile à démontrer et c'est aussi très compréhensible : les observations sont justes et incitent à la subversion du pouvoir et des privilèges ; de là l'hystérie.

En général, toute personne honnête éprouvera, face à la fin de la guerre froide, des sentiments beaucoup plus complexes que le simple plaisir de voir s'effondrer un régime tyrannique et à mon avis, les réactions auxquelles nous assistons actuellement sont imprégnées d'une extrême hypocrisie.

On peut dire qu'à de nombreux égards, la gauche en est revenue au point de départ du siècle dernier. Tout comme à cette époque, elle doit aujourd'hui faire face à une forme de capitalisme en pleine ascension. Le «consensus» voulant que le capitalisme soit la seule forme possible d'organisation économique valide semble plus fort aujourd'hui que jamais au cours de l'Histoire, et cela malgré le fait que l'inégalité des richesses s'accentue. On peut aussi dire qu'à ce contexte s'ajoute le fait que la gauche ne sait plus très bien quelle est la voie à suivre. Quel est votre point de vue sur la période actuelle? N'est-ce qu'une question de «retour à la base»? Devrions-nous maintenant concentrer nos efforts en vue de faire valoir la tradition libertaire du socialisme et les idées démocratiques?

À mon avis, tout ça n'est en grande

partie que de la propagande. Ce que l'on appelle « capitalisme » n'est essentiellement qu'un système de mercantilisme des grandes corporations qui exercent un contrôle démesuré sur l'économie, sur les systèmes politiques et sur la vie sociale et culturelle, de concert avec les États puissants, qui eux interviennent de façon massive sur l'économie nationale et les affaires internationales. Malgré tout ce qu'on pourrait penser, c'est malheureusement le cas des États-Unis. De nos jours comme par le passé, les riches et les privilégiés veulent se soustraire aux rigueurs du marché alors qu'ils n'éprouvent aucune réticence à les imposer à la population. Les dirigeants de l'administration Reagan, pour ne citer que quelques exemples de ce phénomène, se délectaient des discours sur le libre marché alors qu'ils se vantaient auprès des milieux d'affaires de faire partie du plus protectionniste des gouvernements américains de l'après-guerre. En fait, ce gouvernement fut plus protectionniste que tous les autres gouvernements d'après-guerre réunis. Newt

Gingrich[1], qui mène actuellement la croisade, est le représentant d'une circonscription richissime qui bénéficie de plus de subventions fédérales que toute autre banlieue, hormis le système fédéral lui-même. Les « conservateurs », qui veulent mettre un terme aux dîners qu'on sert aux enfants pauvres dans les écoles, demandent par contre l'augmentation du budget alloué au Pentagone (constitué à la fin des années 1940 dans sa forme actuelle), afin – avons-nous appris grâce à l'amabilité de la presse des affaires – de faire du gouvernement le « sauveur » de l'industrie de la haute technologie ; qui ne pourrait survivre au sein d'une « économie de libre entreprise pure, compétitive, et non subventionnée ». Si ce « sauveur » n'existait pas les électeurs de Gingrich ne seraient que de pauvres travailleurs (et encore faudrait-il qu'ils

1. Au moment où cette entrevue se déroulait, Gingrich, figure d'avant-plan du Parti républicain, était l'orateur de la Chambre des représentants et jouait un rôle majeur dans la politique américaine.

aient cette chance). Il n'y aurait ni ordinateurs ni autres appareils électroniques, ni industries de l'aviation, de la métallurgie, de l'automatisation, etc. Les anarchistes devraient être les derniers à se laisser berner par ces supercheries traditionnelles.

La population est très ouverte aux idées libertaires socialistes, qui sont maintenant plus pertinentes que jamais. Malgré toute la propagande des milieux corporatifs, hors des milieux intellectuels, la population est restée fidèle à une attitude traditionnelle. Aux États-Unis par exemple, plus de 80% des gens considèrent que «l'iniquité est inhérente au système économique» et que le système politique n'est que fraude, servant non pas les intérêts du peuple mais ceux de certains groupes d'intérêts. Le nombre de gens qui se disent d'avis que les travailleurs n'ont pas assez de contrôle sur les affaires publiques (aux États-Unis et en Angleterre); que le gouvernement a la responsabilité d'aider les gens qui se trouvent dans le besoin; que les dépenses en matière d'éducation et de santé doivent avoir préséance sur les coupes budgétaires et fiscales; que les propositions républicaines (qui, au Congrès, l'emportent haut la main) ne visent qu'à favoriser les riches et à nuire à la population en général; ce nombre atteint maintenant une étonnante majorité. Peut-être les intellectuels rapportent-ils une tout autre version de l'histoire, mais il n'est pas bien difficile de découvrir quels sont les faits réels.

D'une certaine façon, la chute de l'Union soviétique est venue confirmer le discours des anarchistes; les prédictions de Bakounine se sont révélées justes. Croyez-vous que la conjoncture actuelle et la justesse de l'analyse de Bakounine devraient encourager les anarchistes? Les anarchistes devraient-ils entreprendre la période à venir avec une plus grande confiance en leurs idées et en leur histoire?

Je pense – j'espère du moins – que la réponse se trouve de façon implicite dans ce que je viens de dire. Je crois que la conjoncture actuelle est à la fois de mauvaise augure et porteuse d'espoir. Le résultat qui s'ensuivra dépendra de ce que nous ferons des occasions qui se présenteront à nous.

THÉORIE ET PRATIQUE
DE L'ANARCHO-SYNDICALISME

*Professeur Chomsky, peut-être devri-
ons-nous commencer par essayer de définir
ce que «l'anarchisme» n'est pas. Le mot
«anarchie» dérive du grec. Il signifie litté-
ralement «sans gouvernement». On peut
donc penser que les gens qui parlent de
l'anarchie ou de l'anarchisme comme d'un
système de philosophie politique ne veulent
pas dire que, dès le 1er janvier de l'année
prochaine, le gouvernement, au sens où
nous l'entendons maintenant, va cesser
soudainement d'exister, qu'il n'y aura plus
de police, plus de code de la route, plus de
lois, plus de percepteurs de taxes, plus de
bureaux de poste, etc. Ils entendent sûrement par là quelque chose de plus compliqué que cela.*

Oui à une partie de vos questions, non aux autres. Ils pensent peut-être que les policiers pourraient disparaître, mais je ne crois pas qu'ils diraient qu'il ne doit plus y avoir de code de la route. En fait, je devrais vous dire, pour commencer, que le terme anarchisme est utilisé pour désigner une grande variété d'idées politiques; moi, je pencherais plutôt pour l'interprétation de la gauche libertaire et, de ce point de vue, l'anarchisme peut être considéré comme étant une sorte de socialisme volontaire, c'est-à-dire socialisme libertaire ou anarcho-syndicalisme ou anarcho-communisme, dans la lignée, disons, de Bakounine, Kropotkine et autres. Ces derniers avaient à l'esprit une forme de société hautement organisée, mais basée sur des unités organiques, des communautés organiques, qui correspondent en général au milieu de travail et au voisinage. À partir de ces deux unités de base, il y aurait, par l'intermédiaire d'accords fédéraux, une sorte d'organisation sociale hautement intégrée, qui pourrait exister sur le plan national ou même international. Les décisions pourraient être prises à une très grande échelle, mais par des délégués qui feraient toujours partie de la communauté organique d'où ils viennent, à laquelle ils retournent et dans laquelle, en fait, ils vivent.

Il ne s'agit donc pas d'une société sans gouvernement, mais plutôt d'une société où l'autorité principale est exercée du bas vers le haut, et non du haut vers le bas. La démocratie représentative, telle que nous la connaissons aux États-Unis et en Grande-Bretagne, serait considérée comme une forme d'autorité allant du haut vers le bas, même si, en dernière instance, les électeurs décident.

La démocratie représentative telle qu'elle existe aux États-Unis ou en Grande-Bretagne, par exemple, serait critiquée par un anarchiste de l'école que je viens d'évoquer, et ce, pour deux raisons précises. Tout d'abord, parce que l'État détient le monopole d'un pouvoir qui y est centralisé, et ensuite – et de façon critique – parce que la démocratie représentative se limite à la sphère politique et ne se rattache d'aucune façon significative au domaine économique. Les anarchistes de cette lignée ont toujours pensé que le contrôle démocratique de l'activité productive est au cœur même de toute libération humaine ou, dans le même ordre d'idée, de toute pratique démocratique valable. C'est-à-dire que tant que les individus sont forcés de se louer sur le marché à ceux qui veulent bien les employer, tant que leur rôle dans la production est simplement celui d'outils ancillaires, de frappants éléments de coercition et d'oppression demeurent, ce qui fait de la démocratie une notion limitée, voire même vide de sens.

Sur le plan historique, y a-t-il eu des exemples durables, à quelque échelle sociale, qui se soient apparentés à l'idéal anarchiste?

Il y a de petites sociétés, petites en terme de nombre d'habitants, qui selon moi y sont très bien parvenues. Et il y a aussi quelques exemples de révolutions libertaires à grande échelle qui furent très anarchistes dans leur structure. Pour ce qui est des premières, les petites sociétés qui ont fonctionné pendant une longue période de temps, je pense que l'exemple le plus significatif est sans doute celui des kibboutzim israéliens, qui pendant long-temps étaient réellement fondés sur des principes anarchistes: l'autogestion, le contrôle ouvrier direct, l'intégration de l'agriculture, de l'industrie et des services ainsi que la participation individuelle à l'autogestion. À mon avis, ils représen-taient une réussite extraordinaire, à tous points de vue.

Mais ils existaient vraisemblablement, et existent toujours, dans le cadre d'un État classique qui garantit une certaine stabilité de base.

Eh bien, ce ne fut pas toujours le cas. Leur histoire est bien intéressante. Depuis 1948, ils sont intégrés à l'État conventionnel. Auparavant, ils vivaient au sein de l'enclave coloniale, mais dans les faits, il s'agissait d'une société souterraine, hautement coopérative, qui ne faisait pas réellement partie du régime britannique et qui fonctionnait de façon indépendante. Et dans une certaine mesure, ce mode de fonctionnement a survécu à l'établissement de l'État ; bien qu'à mon avis, il soit certain que ce processus d'intégration, ainsi que d'autres phénomènes uniques dans l'histoire de cette région que nous nous dispenserons d'aborder ici, lui ont fait perdre beaucoup de son caractère socialiste libertaire.

Je crois pourtant qu'en tant qu'institutions socialistes libertaires fonctionnelles, les kibboutzim présentent un modèle intéressant qui est encore plus pertinent pour les sociétés industrielles avancées que bien d'autres modèles ayant existé par le passé.

Un bon exemple de révolution anarchiste à grande échelle – en fait, le meilleur à ma connaissance – est celui de la Révolution espagnole de 1936 ; alors que dans presque toute l'Espagne républicaine, il y eut un mouvement très

54

inspirant de révolution anarchiste touchant à la fois d'importants secteurs de l'industrie et de l'agriculture, et dont le développement semble, vu de l'extérieur, avoir été spontané. Mais en réalité, si l'on s'attarde à ses origines, on découvre qu'elle se fondait sur trois générations d'expérience, de réflexion et de travail pendant lesquelles ont circulé les idées anarchistes au sein d'une très grande partie de la population de cette société hautement – quoi que pas entièrement – préindustrielle. Et cette révolution, encore une fois, se révéla une très grande réussite, tant sur le plan humain que selon les critères économiques. C'est-à-dire que contrairement à ce que bien des socialistes, communistes, libéraux et autres voulaient faire croire, l'efficacité de la production fut maintenue: les travailleurs des fermes et des usines se sont montrés capables de gérer leurs affaires sans subir de coercition et en fait, il est impossible de déterminer jusqu'où tout cela aurait pu nous mener. Cette révolution anarchiste fut tout simplement anéantie par la force. Mais pendant la période où elle exista, je pense qu'elle constituait une grande réussite, et à de nombreux égards, je le répète, elle est un témoignage très inspirant de la capacité des travailleurs pauvres à organiser et à gérer leurs propres affaires, avec grand succès, sans coercition ni contrôle. Quant à savoir quelle est la pertinence de l'expérience espagnole pour les sociétés industrielles avancées, il s'agit là d'une question qui doit être analysée plus en détail.

Il est évident que l'idée fondamentale de l'anarchisme est la primauté de l'individu – pas nécessairement en tant qu'être isolé mais plutôt comme faisant partie d'un ensemble d'individus – et la réalisation de sa liberté. Dans un certain sens, cela ressemble énormément aux idées fondatrices des États-Unis d'Amérique. Qu'est-ce qui, de l'expérience américaine, a rendu cette liberté traditionnelle suspecte, et même corrompue, aux yeux de penseurs anarchistes et socialistes libertaires tels que vous?

Permettez-moi seulement de dire que je ne me considère pas vraiment comme un penseur anarchiste. Disons que je suis une sorte de compagnon de route. Les penseurs anarchistes ont constamment fait référence, et de façon extrêmement favorable, à l'expérience américaine et à l'idéal démocratique de Jefferson. Vous savez que les penseurs anarchistes des temps modernes ont souvent repris l'idée de Jefferson selon laquelle «le meilleur gouvernement est celui qui gouverne le moins», ou celle de Thoreau ajoutant à cela que «le meilleur gouvernement est celui qui ne gouverne pas du tout».

Cependant, l'idéal démocratique de Jefferson, mis à part le fait qu'il s'agissait d'une société esclavagiste, s'est d'abord développé dans un système qui était alors essentiellement précapitaliste, c'est-à-dire dans une société sans contrôle monopolistique ni centres majeurs de pouvoir privé. Il est vraiment surprenant de relire aujourd'hui certains textes libertaires classiques. Si on lit, par exemple, Wilhelm von Humboldt et sa *Critique de*

l'*État* de 1792 – un texte libertaire classique et important qui a sûrement inspiré
Mill – on découvre qu'il ne parle pas du
tout de la nécessité de résister à la
concentration du pouvoir privé, mais
bien du besoin de contrer les abus du
pouvoir coercitif de l'État. Et c'est ce
qu'on retrouve également au tout début
de la tradition américaine. La raison en
est que c'était la seule forme de pouvoir
qui existait. C'est-à-dire qu'Humbolt
prend pour acquis que le pouvoir privé
de chaque individu est à peu près équivalent, que le seul vrai déséquilibre de
pouvoir réside dans l'État autoritaire
centralisé et que la liberté individuelle
doit être défendue contre l'intrusion de
l'État ou de l'Église. C'est à ça, selon lui,
qu'il faut résister.

Et lorsqu'il évoque, par exemple, le
besoin qu'a chaque individu de contrôler
sa vie créative, qu'il décrie l'aliénation
dans le travail qui naît de la coercition ou
même des instructions et des règles du
travail, par opposition à un type de travail
où le travailleur gère lui-même ses activités, il présente là une idéologie anti-

étatique ou antithéocratique. Mais ces mêmes principes peuvent très bien s'appliquer aussi à la société capitaliste industrielle qui a émergé par la suite. Et je pense qu'Humboldt, pour peu qu'il ait poursuivi la logique de son raisonnement, aurait fini par être socialiste libertaire.

Ces exemples ne semblent-ils pas suggérer que quelque chose d'inhérent à l'ère préindustrielle permet l'application des idées libertaires, que celles-ci présupposent nécessairement une société plutôt rurale, où la technologie et la production sont plutôt simples et où l'organisation économique est locale et se limite à une petite échelle?

Et bien permettez-moi de diviser cette question en deux parties : d'abord ce que les anarchistes en ont dit, ensuite ce que j'en pense personnellement. Pour ce qui est des réactions des anarchistes, elles découlent de deux tendances distinctes. D'une part, il y a eu une tradition anarchiste – et l'on pense, par exemple, à

Kropotkine comme en étant l'un des représentants – qui converge avec ce que vous venez de dire. D'autre part, il y en a une autre, qui se traduit en l'anarcho-syndicalisme, qui considère simplement l'anarchisme comme un mode d'organisation bien applicable aux sociétés industrielles avancées et hautement complexes. Cette orientation anarchiste s'apparente à une certaine forme de marxisme de gauche, comme on peut le voir, par exemple, chez les communistes de conseil provenant de la tradition luxemburgeoise, qui fut représentée par la suite par des théoriciens marxistes comme Anton Pannekoek, qui a élaboré une théorie complète au sujet des conseils de travailleurs dans les industries, et qui lui-même est un scientifique et un astronome très lié au monde industriel.

Laquelle de ces deux croyances est correcte? Ou autrement dit, l'anarchisme doit-il nécessairement relever d'un contexte social préindustriel, ou est-il simplement la façon rationnelle d'organiser une société industrielle extrêmement avancée? Je partage cette dernière opinion, et je pense que l'industrialisation et le progrès technologique entraînent des possibilités d'autogestion à grande échelle qui étaient encore totalement inexistantes à l'époque précédente. C'est même précisément la façon la plus logique d'organiser une société industrielle avancée et complexe, dans laquelle les travailleurs peuvent très bien devenir les maîtres de leur univers immédiat, c'est-à-dire diriger et contrôler leur lieu de travail, tout en étant en mesure de prendre les décisions les plus importantes quant à la structure économique, aux institutions sociales, à la planification régionale ou plus élargie. Actuellement, les institutions ne leur permettent pas de contrôler l'information nécessaire à l'accomplissement de leur travail ni à la formation qui leur permettrait de se familiariser avec ces domaines. Bien des choses peuvent être automatisées. Une bonne partie du travail nécessaire au maintien d'un niveau de vie sociale décent peut être confié aux machines – du moins en principe – ce qui revient à donner aux êtres humains la liberté d'entreprendre un travail de type créatif. Objectivement, cela aurait été impossible au début de la révolution industrielle.

Avant de revenir sur la question de l'économie dans une société anarchiste, j'aimerais connaître les détails de la constitution politique telle que vous la concevez, dans le contexte d'une société moderne? Y aurait-il des partis politiques, par exemple? Quelles sont les formes résiduelles de gouvernement qu'on y retrouverait?

Permettez-moi d'abord d'esquisser brièvement ce qui me semble correspondre à l'avis général, puis ce que je crois être essentiellement correct. Pour commencer, prenons d'abord les deux formes d'organisation et de contrôle immédiats, c'est-à-dire l'organisation et le contrôle en milieu de travail et dans la communauté: on peut imaginer un réseau de conseils de travailleurs et, à un niveau plus élevé, des représentants d'usines ou de secteurs industriels ou corporatifs, et des assemblées générales de conseils de travailleurs qui pourraient être régionales, nationales ou internationales. D'un autre point de vue, on peut penser à un système de gouvernance qui impliquerait des assemblées locales qui seraient également fédérées au niveau régional, qui s'occuperaient de questions régionales touchant à la fois les métiers d'art, les industries, les échanges, etc; et de même au niveau national – ou à un niveau plus vaste – par l'intermédiaire de fédérations, etc.

Comment ces organismes se développeraient-ils dans les faits? Comment seraient-ils reliés entre eux? Les deux formes d'organisation seraient-elles nécessaires ou est-ce qu'une seule suffirait? Ce sont là des problèmes sur lesquels ont longuement débattu les théoriciens anarchistes, qui ont présenté de nombreuses propositions. Et je préfère ne pas prendre position. Ces questions doivent encore être examinées.

Mais il n'y aurait pas, par exemple, d'élections nationales directes ou de partis politiques organisés, pour ainsi dire, dans tout le pays. Car dans ce cas, cela risquerait de créer une sorte d'autorité centrale hostile au principe de l'anarchisme.

Non. L'idée de l'anarchisme est que la délégation de l'autorité doit plutôt être minimale et que ceux qui participent à la gouvernance, à quelque niveau que ce soit, doivent être directement responsables devant la communauté organique où ils vivent. En fait, la situation optimale serait que la participation à un de ces niveaux de gouvernance soit temporaire, et même partielle. En d'autres mots, les membres d'un conseil de travailleurs qui, pendant une certaine période de temps, se chargeraient de prendre des décisions que les autres n'ont pas le temps de prendre, continueraient aussi de faire leur travail en tant que membres de leur milieu de travail ou de leur quartier.

Pour ce qui est des partis politiques, mon impression est qu'une société anarchiste n'empêchera pas, par la force, la création des partis politiques. Cela dit, l'anarchisme a toujours été fondé sur l'idée que, quel que soit le lit de Procuste, le système de normes imposé à la vie sociale sera contraignant et gaspillera énergie et vitalité; alors qu'à un niveau plus élevé de culture matérielle et intellectuelle, on assistera au foisonnement de nouvelles possibilités d'organisation volontaire. Je pense donc qu'il est juste de dire qu'on ne pourra pas parler d'organisation anarchiste de la société tant que l'existence des partis politiques sera perçue comme une nécessité. Elle deviendra possible, à mon avis, lorsqu'il y aura participation directe à l'autogestion, aux affaires économiques et sociales; alors, les factions, les conflits, les différences d'intérêts, d'idées et d'opinions devraient être bienvenues et même entretenues, et seraient exprimées au sein de chacun de ces secteurs. Pourquoi devrions-nous nous en tenir à deux, trois ou «X» partis politiques? Je n'en vois pas la raison. Je pense que la complexité des intérêts des êtres humains et de la vie ne correspond pas à ce mode d'organisation. Les partis représentent d'abord et avant tout des intérêts de classes, et dans une telle société, les classes seraient éliminées ou transcendées.

Une dernière question concernant l'organisation politique: n'y a-t-il pas danger, avec ce genre de séries hiérarchiques d'assemblées aux structures presque gouvernementales mais qui n'impliquent aucune élection directe, que le corps central, ou le corps qui est en quelque sorte au sommet de cette pyramide, ne s'éloigne du peuple à la base? Et puisque ce corps, s'il s'occupe d'affaires internationales, détiendrait certains pouvoirs et pourrait aller jusqu'à contrôler les forces armées ou des forces similaires, n'y a-t-il pas risque qu'il devienne encore moins démocratique que le régime actuel?

C'est une propriété très importante de la société anarchiste que de mettre tout en œuvre pour éviter que les choses ne se déroulent comme vous venez de le décrire. Je pense qu'il est tout à fait possible que la situation évolue en ce sens et les institutions devraient justement être conçues pour prévenir cette possibilité. Pour ma part, je ne suis vraiment pas persuadé que la participation à la gouvernance implique nécessairement un travail à plein temps. C'est peut-être le cas d'une société irrationnelle, où la nature irrationnelle des institutions donne lieu à certains problèmes. Mais je pense que dans une société industrielle avancée fonctionnant normalement et organisée selon des orientations libertaires, la mise en application des décisions des corps représentatifs ne demanderait qu'un travail à temps partiel, qui pourrait être effectué par rotation au sein de la communauté, par des gens qui, de surcroît, continueraient de vaquer à leurs activités directes dans cette communauté.

Supposons par exemple que la gouvernance fonctionne de pair avec la production d'acier (et je pense que c'est là une question empirique qui doit être déterminée, et non une simple vision de l'esprit). Ainsi, il serait naturel, il me semble, que cette gouvernance soit organisée de façon industrielle et qu'elle devienne tout simplement une des branches de l'industrie, avec ses propres conseils de travailleurs, sa propre gouvernance et un droit de participation aux assemblées plus larges.

Il faut dire que c'est en général ce qui s'est produit dans les conseils de travailleurs qui ont surgi spontanément en différents endroits – pendant la révolution hongroise de 1956, par exemple. Il y avait, si je me rappelle bien, un conseil ouvrier d'employés de l'État qui avait été organisé tout simplement comme une branche de l'industrie, et qui fonctionnait comme un secteur parmi d'autres de l'industrie. C'est parfaitement possible, et cela serait ou pourrait être un bon obstacle à la création d'une sorte de lointaine bureaucratie coercitive, que bien sûr les anarchistes redoutent.

Si l'on suppose qu'un certain système de défense sophistiqué soit toujours nécessaire, je ne vois pas comment un système de conseils représentatifs – aux multiples niveaux, dont l'autorité serait opérée «de bas en haut», et dont les membres ne travailleraient qu'à temps partiel, comme vous le décrivez – nous permettrait de contrôler efficacement une organisation aussi puissante, et qui requiert une expertise technique nécessaire aussi importante que le Pentagone, par exemple.

Bon. Soyons d'abord un peu plus précis sur la terminologie. Vous faites référence au Pentagone, comme on le fait habituellement, en tant qu'organisation de défense. En 1947, lorsque la loi sur la Défense nationale a été adoptée, le nom de l'ancien «Département de la Guerre» (c'est ainsi qu'on l'appelait, et à raison, le département du gouvernement américain qui s'occupait de la guerre) fut changé pour celui de «Département de la Défense». J'étais étudiant à l'époque et je ne croyais pas avoir une analyse très approfondie des événements, mais je savais comme tout le monde que cela signifiait que quelle qu'eût été la participation de l'armée américaine aux opérations de défense par le passé – et elle n'avait été que partielle – on venait de tourner la page. Puisqu'on l'appelait désormais le «Département de la Défense», cela voulait dire que le Pentagone ne serait ni plus ni moins qu'un département d'agression.

Selon le principe qu'il ne faut rien croire qui ne soit pas officiellement nié.

Exactement. Un peu comme la supposition qui a permis à Orwell de saisir l'essentiel de la nature de l'État moderne. Et c'est effectivement ce qui est arrivé. Je veux dire que le Pentagone n'est absolument pas un «département de la défense». Il n'a jamais défendu les États-Unis contre qui que ce soit: il n'a servi qu'à des agressions. Je pense que le peuple américain serait beaucoup mieux sans le Pentagone. Il n'en a sûrement pas besoin pour sa défense. Son intervention dans les problèmes internationaux n'a jamais été – bien sûr, dire «jamais» semble peut-être exagéré –, mais je pense qu'il serait difficile de trouver un seul exemple qui soit caractérisé par le soutien à la liberté, à l'émancipation, à la défense du peuple, etc. Ce n'est pas là le rôle de l'organisation militaire massive que contrôle le Département de la Défense. Ses tâches sont plutôt de deux ordres, tout aussi anti-sociaux l'un que l'autre.

Il s'agit tout d'abord de préserver un système international dans lequel ce que l'on appelle «les intérêts américains» (c'est-à-dire, en priorité, les intérêts commerciaux) puissent prospérer. Par ailleurs, le Pentagone occupe une fonction reliée à l'économie intérieure. C'est-à-dire qu'il a servi de mécanisme keynésien primaire grâce auquel le gouvernement intervient pour préserver ce qui est ridiculement appelé «la santé de l'économie», en stimulant la production, c'est-à-dire la production du gaspillage.

Donc ces deux fonctions servent certains intérêts, c'est-à-dire les intérêts dominants, les intérêts de la classe dominante de la société américaine. Je ne crois absolument pas qu'elles servent les intérêts publics. À mon avis, dans une société libertaire, ce système de production du gaspillage et de destruction serait démantelé. Mais il faut se garder de parler de cela à la légère. Si on imagine une révolution sociale aux États-Unis – ce qui n'est pas pour un avenir proche, me semble-t-il – il est difficile d'imaginer qu'un ennemi extérieur puisse la menacer. Nous ne serions pas attaqués par le Mexique ou Cuba, par exemple. Une révolution américaine n'aurait pas besoin, à mon avis, de se défendre contre une agression. D'un autre côté, si une révolution sociale libertaire survenait, disons, en Europe occidentale, alors je pense que la question de la défense poserait vraiment problème.

J'allais dire que l'élimination de l'autodéfense ne doit pas être inhérente aux propositions anarchistes, puisque dans les faits, les expériences anarchistes auxquelles on a assisté ont été détruites de l'extérieur.

Mais je pense qu'il est impossible de trouver une réponse générale à ces questions. Il faut chercher, pour chacune d'elles, une réponse spécifique, qui soit reliée aux conditions historiques et objectives spécifiques correspondantes.

J'avoue que je trouve un peu difficile d'imaginer comment pourrait s'appliquer votre description du contrôle démocratique à ce genre d'organisation. Il me semble plutôt improbable de voir des généraux se contrôlant eux-mêmes, d'une façon que vous approuveriez.

Voilà pourquoi je tiens à souligner la complexité de cet aspect. Il dépend du pays et de la société dont on parle. Aux États-Unis, les problèmes se posent d'une certaine façon. S'il y avait une révolution sociale libertaire en Europe, alors je pense que les difficultés que vous envisagez seraient très importantes, parce qu'il y aurait un sérieux problème de défense. J'imagine que si le socialisme libertaire se concrétisait à quelque niveau en Europe de l'Ouest, il y aurait une menace militaire directe provenant à la fois de l'Union soviétique et des

États-Unis. Et se poserait alors la question de savoir comment la contrecarrer. C'est le problème auquel on a dû faire face lors de la Révolution espagnole. Elle a subi l'intervention directe des fascistes, des communistes et, en arrière-plan, des démocraties libérales. Et c'est une question très grave que de trouver le moyen de se défendre contre une attaque de cette envergure. Je pense pourtant que nous nous devons de nous demander si le moyen le plus efficace est vraiment une armée permanente, centralisée et équipée de moyens de dissuasion relevant de la plus haute technologie. C'est loin d'être une évidence. Par exemple, je ne crois pas qu'une armée ouest-européenne centralisée et sophistiquée pourrait d'elle-même repousser une attaque russe ou américaine qui serait destinée à empêcher l'avènement du socialisme libertaire. Et très franchement, je crois qu'on pourrait s'attendre à ce que ce genre d'attaque soit menée, sinon sur le plan militaire, du moins sur le plan économique.

Mais d'un autre côté, est-ce qu'un grand nombre de paysans, avec des faux et des bêches...

Nous ne parlons pas de paysans ; nous parlons d'une société industrielle très urbanisée et très sophistiquée. Et il me semble que la meilleure méthode de défense serait de faire appel, sur le plan politique, aux travailleurs des pays d'où viendrait l'attaque. Mais encore une fois, je ne veux pas en parler de façon superficielle. Il faudrait des chars d'assaut, il faudrait une armée. Et dans ce cas-là, je pense que nous pouvons être tout à fait sûrs que cela contribuerait à l'échec, ou du moins au déclin des forces révolutionnaires, pour les raisons mêmes que vous aviez évoquées. C'est donc qu'il est extrêmement difficile d'imaginer, à mon avis, comment pourrait fonctionner une armée centralisée, efficace, qui utiliserait chars d'assaut, avions, armes stratégiques, etc. Si c'est à ce prix qu'il faut défendre les structures révolutionnaires, alors je pense qu'on peut aussi bien laisser tomber.

Si le principal moyen de défense est l'appel politique, ou l'appel à l'organisation politique et économique, peut-être pourrions-nous voir cela un peu plus en détail. Vous avez écrit, dans un de vos essais, que «dans une société décente, chaque personne aurait la possibilité de trouver un travail intéressant, et qu'il serait permis à chacun d'approfondir au mieux ses talents». Puis vous poursuivez et demandez: «Pourquoi faudrait-il précisément une récompense supplémentaire sous forme de richesse et de pouvoir? N'estimons-nous pas que mettre nos talents au service d'un travail qui serait utile à la société est une récompense en soi?» Je pense qu'un tel raisonnement fait certainement partie des idées qui plaisent à bon nombre de gens. Mais reste à expliquer, selon moi, pourquoi le genre de travail jugé intéressant, attrayant et valable, coïnciderait nécessairement avec les tâches qu'il nous faudrait accomplir pour maintenir le niveau de vie qui corresponde à nos exigences et habitudes.

Certes, si nous devons maintenir ce niveau de vie, il nous faudra accomplir certaines tâches. La question de la peine rattachée à ce travail reste entière. Rappelons qu'on ne s'est pas servi de la science, de la technologie et de l'intelligence pour examiner ce problème ou pour surmonter les obstacles de la nature pénible et autodestructrice qui caractérise aujourd'hui le travail social nécessaire. Et cela parce qu'on a toujours supposé qu'un important corps d'esclaves salariés allait exécuter ce travail pour ne pas mourir de faim. Mais nous ne savons pas quelle solution pourrait être apportée si l'intelligence humaine était employée à résoudre ce problème et à chercher comment donner un sens au travail social nécessaire. À mon avis, une bonne partie de ce travail pourrait devenir très supportable. C'est une erreur que de croire que le travail physique éreintant doit être nécessairement pénible. De nombreuses personnes – moi y compris – le font pour se relaxer. Récemment, par exemple, je me suis mis en tête de planter 34 arbres dans un pré derrière ma maison, et j'ai donc dû creuser 34 trous dans le sol. Vous savez, pour moi, et vu mes occupations habituelles, c'est un travail très difficile, mais je dois dire que ça m'a plu. Je n'aurais pas aimé le faire selon des règles, avec un chef d'équipe, ou si on m'avait commandé d'effectuer ce travail à un moment précis, etc. Mais il s'agit d'une tâche entreprise par pur intérêt, alors ça va, sans aucune technologie, et ce, sans aucune réflexion sur la façon de faire le travail, etc.

Je vous signale qu'il peut y avoir un risque que cette vision des choses ne devienne qu'une illusion romantique, entretenue uniquement par une petite élite de gens qui se trouvent – comme les professeurs de faculté, les journalistes, etc. – dans la situation très privilégiée d'être payés à faire ce que, en fin de compte, ils aiment faire.

C'est pour cela que j'ai commencé par un gros «si». J'ai dit que nous devons d'abord nous demander dans quelle mesure le travail social nécessaire, tout particulièrement le travail indispensable au maintien du niveau de vie que nous voulons, doit occasionner efforts et contraintes. Je pense que la réponse est que ce travail doit être allégé. Mais admettons qu'une certaine part reste pénible à effectuer. Eh bien dans ce cas, la réponse est simple : ce travail doit être assumé, à parts égales, par tous les gens capables de le faire.

Ainsi, chaque année, chacun passerait un certain nombre de mois à travailler à la chaîne dans l'industrie de l'automobile, un certain nombre de mois à ramasser les ordures, et

Si ce sont là les tâches qui ne satisfont personne. Mais je ne crois pas du tout que ce soit le cas ici. Quand je vois des gens travailler, des travailleurs manuels comme des mécaniciens automobiles, je pense qu'ils tirent souvent une grande fierté du travail bien fait, du travail compliqué et bien fait ; parce qu'il faut réfléchir intelligemment pour y arriver, surtout lorsqu'on participe aussi à la gestion d'une entreprise, au choix des méthodes d'organisation du travail et des objectifs, aux projets, etc. À mon avis, tout cela peut représenter une activité satisfaisante et gratifiante qui exige de l'habileté, celle que les gens aiment exercer, mais ce ne sont là que des hypothèses. Supposez qu'il reste du travail – quel qu'il soit – que personne ne tient à faire ; alors dans ce cas, je pense qu'il doit être partagé à parts égales. Une fois ce travail accompli, les gens seront libres d'exercer leurs talents comme ils le souhaitent.

Je vous signale, professeur, que si cette part restante du travail était très importante ; si par exemple, comme certains pourraient le prétendre, elle équivalait à 90% de la production de ce que nous voulons tous consommer, alors cela deviendrait tout à fait inefficace que de se répartir les «sales corvées» entre tous. En effet, après tout, il faut être entraîné et équipé même pour faire les «sales corvées», l'efficacité de l'économie dans son ensemble en souffrirait, ce qui ferait diminuer notre niveau de vie.

Tout d'abord, tout cela est vraiment très hypothétique, car je doute fort que les chiffres réels correspondent à cela. Comme je l'ai dit, il me semble que si l'intelligence humaine s'intéressait à savoir comment la technologie pourrait être adaptée aux besoins des producteurs humains au lieu du contraire – en effet, actuellement, nous cherchons à adapter l'être humain et ses qualités particulières à un système technologique destiné à d'autres fins, et tout particulièrement à la production du profit –, nous nous apercevrions qu'en fait, le travail déplaisant est bien moindre que ce que vous avancez. Mais quoi qu'il en soit, remarquez que nous serions devant une alternative : soit nous recourons au partage égal, soit nous mettons en place des institutions sociales qui fassent en sorte que certains groupes de gens soient tout simplement obligés de faire ce travail, sous peine de mourir de faim. C'est cela, l'alternative.

Ils pourraient aussi ne pas être obligés mais le faire volontairement, parce qu'ils en obtiendraient un salaire qui en vaut la peine.

Mais c'est que je pars du principe que tous reçoivent une rémunération essentiellement égale. N'oubliez pas que nous ne parlons pas d'une société où les gens qui font le travail pénible sont payés substantiellement plus que ceux qui font ce qu'ils ont choisi, tout au contraire. Dans notre société, dans toute société à classes sociales, ce sont les gens qui exécutent les travaux rebutants qui sont les moins bien payés. Ces travaux sont effectués et nous faisons en sorte de les oublier, car il est pris pour acquis qu'il y a une importante masse de gens qui ne contrôlent qu'un facteur de la production, c'est-à-dire leur propre travail, qu'ils doivent vendre. Ils devront faire ce travail parce qu'ils ne peuvent rien faire d'autre, et ils seront très peu payés pour cela. Mais j'accepte la correction. Imaginons trois types de société : l'une, la forme courante, où le travail dont personne ne veut est donné aux esclaves-salariés ; la seconde, où ce même travail, après avoir fait le maximum d'efforts pour lui donner un sens, est partagé également; et la troisième, où ce travail permet de recevoir une rémunération supplémentaire substantielle, de façon à ce que des gens le fassent volontairement. Et bien, il me semble que les deux derniers systèmes correspondent, *grosso modo*, aux principes anarchistes. Je pencherais pour la deuxième plutôt que la troisième, mais toutes les deux sont très éloignées de toute l'organisation actuelle ou des tendances organisationnelles d'aujourd'hui.

Permettez-moi de vous poser le problème autrement. Il me semble qu'il y a un choix fondamental, en dépit des tentatives pour l'occulter, entre organiser le travail selon la satisfaction qu'en tirent les gens qui l'exécutent, et le faire sur la base de la valeur de ce qui est produit aux yeux des gens qui vont l'utiliser ou le consommer. Et il me semble qu'une société organisée selon le principe que chacun doit pouvoir bénéficier du maximum de possibilités de réaliser ses violons d'Ingres – ce qui revient essentiellement au travail pour le travail – trouve sa logique extrême dans le monastère; où le type de travail accompli, la prière surtout, est une activité enrichissante pour le travailleur, mais où ce qui est produit n'est utile à personne. À ce moment-là, soit vous vous retrouvez avec un niveau de vie bas, soit vous mourez de faim.

Ce sont là des hypothèses et je ne suis pas d'accord avec vous à ce propos. À mon avis, ce qui donne un sens au travail, c'est en partie qu'il ait une utilité, que ses produits servent. Si le travail d'un artisan a une signification pour lui, c'est en partie parce qu'il a dû y mettre intelligence et habileté, mais c'est aussi parce que ce travail a une utilité, et il en va de même pour les scientifiques. C'est-à-dire qu'il est très important de savoir que le genre de travail que vous faites peut aboutir à autre chose – c'est le cas des sciences, comme vous le savez – et contribuer à quelque chose de bien distinct de l'élégance et de la beauté de ce que vous pouvez réaliser. Et je pense que cela s'applique à tous les domaines de l'activité humaine. De plus, je crois que si on s'en rapporte à une longue période de l'histoire de l'humanité, on verra que les gens, en majorité, éprouvent un certain degré de satisfaction, souvent très grande, à l'égard de leur travail productif et créatif. Et à mon avis, l'industrialisation peut grandement contribuer à produire ce sentiment. Pourquoi? Précisément parce que beaucoup des corvées les plus absurdes peuvent être faites par les machines et qu'ainsi, le champ d'activités humaines réellement créatives s'en trouve fortement élargi.

Maintenant, vous parlez du travail librement réalisé comme d'un violon d'Ingres. Mais je ne le vois pas comme ça. J'envisage ce travail entrepris en toute liberté comme un travail utile, comme un travail valable bien exécuté. Aussi, comme bien des gens, vous voyez un dilemme entre le désir de satisfaction dans le travail et le désir de créer des objets de valeur pour la communauté. Mais il n'est pas si évident qu'il y ait là un dilemme, une contradiction. Il n'est donc pas évident du tout (c'est même faux, à mon avis) que la contribution à l'augmentation du plaisir et la satisfaction dans le travail soient inversement proportionnelle à la contribution à la valeur de la production.

Peut-être ne sont-elles pas inversement proportionnelles, mais elles pourraient du moins n'avoir aucun rapport. Je m'explique : prenez une chose très simple comme vendre des glaces sur une plage pendant les vacances. C'est un service social. Indubitablement, les gens veulent des glaces parce qu'ils ont chaud. D'un autre côté, il est difficile de voir en quoi ce travail donne au travailleur une joie ou une grande sensation de vertu sociale ou de noblesse. Pourquoi ferait-il ce travail s'il n'y a pas de récompense ?

Je dois dire que j'ai vu des marchands de glaces qui semblaient très joyeux...

C'est certain ! Ils font beaucoup d'argent.

...qui se trouvaient à aimer l'idée de donner des glaces aux enfants, ce qui me semble une façon très sensée de passer le temps, comparée au millier d'autres occupations qui me viennent à l'esprit.

Rappelez-vous qu'un individu a une occupation, et à mon avis, la plupart de celles qui existent, surtout dans ce qu'on appelle les services – c'est-à-dire les professions qui impliquent des rapports avec des êtres humains – comportent une gratification intrinsèque qui provient justement de ce contact avec des êtres humains. Cela vaut pour l'enseignement, et également pour la vente de glace. J'avoue que vendre des glaces ne nécessite pas le dévouement ou l'intelligence qu'il faut pour enseigner. Et pour cette raison, sans doute serait-ce une occupation moins recherchée. Mais s'il en était ainsi, il faudrait alors établir un partage.

Revenons cependant à l'hypothèse voulant que le plaisir dans le travail, la fierté dans le travail, soient sans rapport ou en rapport de contradiction avec la valeur de la production ; qui correspond à une étape particulière de l'histoire sociale, c'est-à-dire au capitalisme, dans lequel les êtres humains sont des outils de production. Eh bien, elle n'est pas nécessairement vraie. Par exemple, si vous regardez les nombreuses entrevues réalisées par des psychologues de l'industrie auprès d'ouvriers qui travaillent dans des chaînes de montage, vous constaterez qu'une des choses dont ils se plaignent tout le temps est que leur travail ne peut pas, tout simplement, être bien fait. Comme la chaîne passe trop vite, ils ne peuvent pas travailler correctement. Il se trouve que j'ai lu récemment, dans une revue de gérontologie, une étude ayant pour but de déceler les facteurs utilisables pour prédire la longévité, vous savez, fumer, boire, les facteurs génétiques... tout était envisagé. Il semble qu'en fait, le facteur le plus sûr est la satisfaction que donne le travail.

Les gens qui ont un bon travail vivent plus longtemps.

Les gens qui sont satisfaits de leur travail. Et je pense que c'est logique puisque c'est là que vous passez votre vie, que vous vivez des activités créatrices. Mais qu'est-ce qui permet la satisfaction dans le travail? Je pense qu'il y a de nombreux facteurs, et le fait de savoir que vous réalisez quelque chose d'utile à la communauté y est pour beaucoup. Les gens qui sont satisfaits de leur travail sont souvent ceux qui sentent que ce qu'ils font est important; ils peuvent être enseignants, médecins, savants, artisans, fermiers. Le sentiment que ce qu'on fait est important, utile, et touche ceux avec qui on a des rapports sociaux est un facteur très important de notre satisfaction personnelle.

Par-dessus tout, il y a la fierté et l'épanouissement personnel qui viennent d'un travail bien fait, du simple fait de se servir de son savoir-faire et de le mettre en valeur. Et je ne vois pas pourquoi cela serait nuisible; je crois plutôt que cela contribuerait à faire augmenter la valeur de ce qui est produit.

Mais imaginons, encore une fois, qu'à quelque niveau, cela s'avère nuisible. Eh bien c'est vrai, la société, la communauté, doivent alors décider comment faire des compromis. Après tout, chaque individu est à la fois producteur et consommateur, ce qui revient à dire que chacun doit se conformer aux compromis déterminés socialement – si de tels compromis doivent être faits. Encore une fois, je considère que l'importance du compromis est très exagérée, à cause du prisme déformant du système dans lequel nous vivons qui lui, est vraiment coercitif et détruit les ressources personnelles.

Vous dites que la communauté doit décider des compromis, et bien sûr, le communisme fournit à cet effet toute une théorie sur la planification nationale, les décisions sur les investissements, la direction de ceux-ci, etc. Dans une société anarchiste, il semble que vous ne vouliez pas vous munir de la superstructure gouvernementale qui serait nécessaire pour élaborer les plans, prendre les décisions sur

les investissements, faire le choix de don-
ner la priorité à ce que les gens veulent
consommer ou à ce qu'ils veulent faire.

Je ne suis pas d'accord. Il me semble
que les structures anarchistes – ou dans ce
cas, les structures de la gauche marxiste –
fondées sur le système de conseils de travailleurs et de fédérations, offrent justement un ensemble de niveaux de prise de
décision qui permette de décider
nationalement. Les sociétés socialistes
étatiques comportent de même un niveau
de prise de décision, disons national,
auquel les plans peuvent être appliqués. Il
n'y a pas de différence de ce point de vue.
La différence se trouve au niveau du
contrôle et de la participation à ces décisions. Aux yeux des anarchistes et des
marxistes de gauche (comme pour les
conseils de travailleurs ou les conseils
communistes qui étaient marxistes), ces
décisions sont prises par la classe ouvrière
informée et au moyen des assemblées et
de leurs représentants directs, qui vivent
et travaillent parmi eux. Dans le système
socialiste étatique, le plan national est

élaboré par la bureaucratie nationale qui accumule toutes les informations pertinentes, prend des décisions et les offre à la population. Et parfois, certaines années, la bureaucratie s'adresse à la population en disant : « Vous pouvez désigner celui-ci ou moi-même, mais nous faisons tous deux partie de cette bureaucratie distante. » Tels sont les pôles dans la tradition socialiste.

Ainsi, l'État joue un rôle considérable, de même que les fonctionnaires, la bureaucratie ; mais c'est le contrôle exercé sur eux qui est différent.

Voyez-vous, je ne crois pas que nous ayons besoin d'avoir une bureaucratie à part pour exécuter les décisions gouvernementales.

On a besoin de plusieurs formes de compétence.

Bien sûr, mais prenons par exemple la compétence concernant la planification économique. Il est certain que dans toute société industrielle complexe, il devrait y avoir un groupe de techniciens dont la tâche serait de faire des plans, d'exposer les conséquences des décisions, d'expliquer aux gens qui doivent prendre les décisions que si la décision va dans tel sens nous aurons probablement telle conséquence — puisque c'est ce que le modèle de programmation indique —, et ainsi de suite. Mais l'important est que ces systèmes de planification soient des industries en soi, qui aient leurs conseils de travailleurs et qui soient partie intégrante du système de conseil global. La différence est que ces systèmes de planification ne prendront pas de décision. Ils produisent des plans, tout comme un constructeur automobile fait des voitures. Les plans sont alors mis à la disposition des conseils de travailleurs et des assemblées de conseils, tout comme les voitures sont mises à la disposition des usagers. Bien sûr, cela suppose une classe de travailleurs informée et instruite. Mais c'est précisément ce que nous pouvons réaliser dans les sociétés industrielles avancées.

Dans quelle mesure le succès du socialisme libertaire ou de l'anarchisme dépend-il d'un changement fondamental de la nature humaine, à la fois dans ses motivations, son altruisme, et dans ses connaissances et sa complexité?

Je pense que le succès ne dépend pas seulement de ce changement, mais que la finalité globale du socialisme libertaire est d'y contribuer. Il amènera une transformation spirituelle, précisément cette sorte de transformation dans la façon dont les êtres humains se conçoivent et perçoivent leur capacité d'agir, de décider, de créer, de produire, de s'informer. C'est précisément sur cette transformation spirituelle que les penseurs de tradition marxiste de gauche (disons de Rosa Luxemburg aux anarcho-syndicalistes) ont toujours insisté. Donc, d'une part, cette transformation est nécessaire. D'autre part, la finalité est de créer des institutions qui contribuent à cette transformation de la nature du travail, de l'activité créatrice, simplement par les rapports sociaux entre les gens et par le biais de l'interaction d'institutions qui permettent l'épanouissement de nouveaux aspects de la nature humaine. Et alors, on assistera à la création d'institutions plus libertaires auxquelles ces êtres humains libérés pourront contribuer : telle est l'évolution du socialisme, comme je l'entends.

Et finalement, professeur Chomsky, que pensez-vous de la probabilité qu'au cours du prochain quart de siècle, on assiste à l'émergence d'un tel type de société dans les pays industriels occidentaux les plus importants?

Je ne crois pas être assez savant ou assez informé pour faire des prédictions, et je pense qu'en général, des prédictions sur des sujets aussi mal compris révèlent probablement plus une personnalité qu'une réflexion. Mais à mon avis, on

95

peut quand même dire qu'il est évident que le capitalisme industriel tend à la concentration du pouvoir au sein d'empires économiques restreints, qui ressemblent de plus en plus à l'État totalitaire. Ces tendances existent depuis longtemps, et je ne vois rien qui puisse vraiment les arrêter. Je considère que ces tendances vont se maintenir, car elles font partie de la stagnation et du déclin des institutions capitalistes.

Il me semble que le développement vers le totalitarisme d'État et la concentration économique (les deux vont évidemment de pair) mènera peu à peu à un dégoût, à des tentatives de libération personnelle et à des efforts organisés de libération sociale; et cela prendra toutes sortes de formes. Dans toute l'Europe, sous une forme ou une autre, on réclame ce qu'on nomme la participation de travailleurs ou la cogestion, ou même quelquefois le contrôle ouvrier. Mais la plupart de ces efforts sont minimes; je pense qu'ils sont trompeurs et peuvent même, en fait, saper les tentatives que fait la classe ouvrière pour s'émanciper. Mais c'est en partie une réponse à la forte intuition et constatation que la coercition et l'oppression, qu'elles viennent du pouvoir économique privé ou de la bureaucratie de l'État, ne sont absolument pas des aspects indispensables de la vie humaine. Plus ces concentrations de pouvoir et d'autorité s'accentueront, plus le dégoût qu'elles inspirent et les efforts d'organisation en vue de les détruire grandiront. Tôt ou tard, ces efforts seront victorieux, je l'espère.

TABLE

ACHEVÉ D'IMPRIMER EN JUILLET
DE L'AN 2001 SUR LES PRESSES DE
AGMV MARQUIS A LONGUEUIL
POUR LE COMPTE DE COMEAU &
NADEAU, ÉDITEURS À MONTRÉAL
À L'ENSEIGNE DU CHIEN D'OR.

Distribution en France : Les Belles Lettres
Tél. 01.44.39.84.20 – Fax. 01.45.44.92.88

Diffusion en France : Athélès
Tél.-Fax. 01.43-01.16.70

Diffusion-distribution au Canada
Prologue (450) 434-0306 – (800) 363-2864

Imprimé au Québec